Na lekcji religii ksiądz pyta dzieci:
– Kto z was chce iść do nieba?
Wszystkie dzieci podnoszą ręce, tylko Jaś nie.
– A ty dlaczego nie chcesz? – pyta ksiądz.
– Bo obiecałem tacie, że zaraz po lekcjach wrócę prosto do domu.

Nauczycielka do Jasia:
– Przyznaj się, ściągałeś od Małgosi!
– Skąd pani to wie?
– Bo obok ostatniego pytania ona napisała: „nie wiem", a ty napisałeś: „ja też".

Na lekcji przyrody nauczycielka pyta:
– Jasiu, co wiesz o jaskółkach?
– To bardzo mądre ptaki. Odlatują, gdy tylko rozpoczyna się rok szkolny!

Na lekcji geografii nauczyciel pyta Jasia:
– Która rzeka jest dłuższa: Ren czy Missisipi?
– Oczywiście, Missisipi.
– Doskonale, a czy wiesz, o ile dłuższa?
– Dokładnie o sześć liter.

– Czy wiesz, że mój pies uratował mi życie?
– W jaki sposób?
– Kiedy leżałem w szpitalu, nie dopuścił żadnego lekarza do mojego łóżka.

– Dlaczego wozy policyjne jeżdżą tak szybko?
– Żeby policjanci nie zapomnieli, dokąd i po co jadą!

Komendant informuje policjantów:
– Przestępstwo zostało dokonane w nocy z 15 na 16 lipca.
– Przepraszam, ale nie dosłyszałem – przerywa jeden z nich. – W nocy z 15 na którego?

Do dwóch policjantów podchodzi Amerykanin, który wysiadł przed chwilą ze swego eleganckiego auta i łamaną polszczyzną pyta:
– Jak dojechać do hotelu „Forum"?
– Na skrzyżowaniu skręci pan w lewo, panie generale.
Amerykanin dziękuje, wsiada do swojego auta i odjeżdża.

– Skąd wiedziałeś, że to był generał?
– Ale ty jesteś mało spostrzegawczy! Przecież na jego samochodzie było napisane: „General Motors”.

Do psychiatry przyszła jego stała pacjentka.
– Co słychać? Czy są jakieś zmiany, jeśli chodzi o pani kleptomanię?
– Tak, panie doktorze. Wcześniej przynosiłam do domu, co mi wpadało do rąk, teraz biorę tylko cenniejsze przedmioty.

Nauczyciel fizyki pyta uczniów:
– Kto waszym zdaniem był największym wynalazcą wszech czasów?
– Edison – odpowiada Krzyś.
– Czy mógłbyś to uzasadnić?
– Gdyby nie on, musielibyśmy telewizję oglądać przy świecach!

– Jasiu, dlaczego spóźniłeś się na lekcję? – chce wiedzieć pani wychowawczyni.
– Bo jak szedłem do szkoły, to napadł mnie uzbrojony bandyta.
– O Boże, dziecko, czy nic ci się nie stało?!
– Owszem, ten łobuz zabrał mi zeszyt z wypracowaniem.

Jechał chłop wozem i uderzył konia batem. Koń odwraca łeb i mówi:
– Jak mnie jeszcze raz uderzysz, to ci tak oddam, że się w lustrze nie poznasz!
Chłop zdziwiony:
– Pierwszy raz w życiu słyszę, żeby koń mówił!
– Ja też – przytaknął siedzący obok pies.

Tato mówi do Jasia:
– Nie rozumiem, jak ty możesz zadawać się z Wojtkiem. Przecież to niegrzeczny chłopiec, najgorszy uczeń w klasie!
– Przez wdzięczność, tato. Gdyby nie on, to ja byłbym najgorszym uczniem!

Na biologii nauczyciel pyta Jasia:
– Co to jest małpa?
– To takie zwierzę jak ja albo pan profesor, tylko że ma długi ogon!

Nauczyciel kazał Jasiowi napisać w zeszycie sto razy: Nigdy nie będę mówił do nauczyciela „TY".
Nazajutrz Jasio przynosi zeszyt.
– Dlaczego to zdanie napisałeś nie sto, ale dwieście razy? – dziwi się nauczyciel.
– Bo cię lubię, Kaziu!

W szkole pani do Jasia:
– Wymień państwo na K.
– Państwo Kowalscy.

Antek poszedł nad rzekę łowić ryby. Rozpalił ognisko i już miał zarzucić wędkę, gdy zauważył kurę idącą w jego stronę. Nie namyślając się, złapał ją, oskubał, upiekł i zjadł. Nagle patrzy, drogą biegnie sąsiadka i woła:
– Antek, nie widziałeś mojej kury?
Antek spogląda na pióra leżące u jego stóp i mówi:
– Rozebrała się i popłynęła na drugą stronę rzeki!

Antek z sąsiadem postanowili zważyć świnię. Ponieważ nie mieli wagi ani odważników, na duży kamień położyli długą deskę. Na jedną stronę deski wprowadzili zwierzę, a na drugą zaczęli kłaść kamienie, aż do uzyskania równowagi. Gdy im się to udało, Antek rzekł zadowolony:
– W porządku! Teraz tylko trzeba zgadnąć, ile ważą te kamienie!

Kuzyn z miasta odwiedza bardzo zaniedbane gospodarstwo rolne Antka.
– Nic na tej ziemi nie rośnie?
– A no nic – wzdycha Antek.
– A jakby tak zasiać kukurydzę?
– Aaa... jakby zasiać, to by urosła.

Dzwoni klient do masarni:
– Czy ma pan pierś z kurczaka?
– Mam.
– A czy ma pan łopatkę cielęcą?
– Mam.
– A ma pan świński ryj?
– Mam.
– No to musi pan śmiesznie wyglądać.

Spotyka się dwóch sąsiadów. Jeden mówi:
– Czy ty wiesz, Franek, że moja świnia mówi po francusku?
– Chyba jesteś pijany, albo zwariowałeś!
– Nie wierzysz? Założymy się?
Sąsiedzi poszli do chlewu do świni mówiącej po francusku. Jej właściciel pyta:
– Kaśka, umiesz mówić po francusku?
Świnia nic. Wtedy chłop ją kopnął, a świnia:
– Łi, łi, łi!

Przychodzi koń do baru i mówi:
– Proszę piwo bez soku.
Barman na to:
– Bez jakiego znowu soku?
– Może być bez malinowego – odpowiada koń.

Do leżącego na ławce mężczyzny podchodzą policjanci. Jeden z nich mówi:
– Dokumenty poproszę.
– Nie mam – odpowiada mężczyzna.
Policjanci na to:
– No to idziemy!
– No to idźcie!

Policja zorganizowała konkurs „Bezpieczna jazda". Ten, kto będzie jechał zgodnie z ograniczeniem prędkości, otrzyma nagrodę 1000 zł. Policjanci stoją w krzakach, mandaty się sypią, aż wreszcie powoli nadjeżdża mercedes. Zatrzymują kierowcę, salutują i mówią:
– Gratulujemy, jechał pan z przepisową prędkością. W nagrodę otrzymuje pan 1000 zł. Co zrobi pan z tymi pieniędzmi?
Facet drapie się po głowie i po chwili mówi:
– Wie pan, wreszcie zrobię kurs prawa jazdy.
Na to odzywa się jego żona:
– Niech panowie nie słuchają, on zawsze takie bzdury gada po pijanemu...
Na to z tylnego siedzenia słychać głos babci:
– Mówiłam, że kradzionym daleko nie zajedziemy!
Ktoś puka z bagażnika:
– Czy to już Berlin?

Juhas widzi bacę prowadzącego duże stado owiec.
– Dokąd je prowadzicie?
– Do domu. Będę je hodował.
– Przecież nie macie obory ani zagrody! Gdzie będziecie je trzymać?
– W mojej izbie.
– Toż to straszny smród!
– Cóż, będą się musiały przyzwyczaić.

– Baco, czy pokażecie nam Giewont? – pytają turyści.
– Ano pokazem. Widzita tom pirsom górke?
– Tak.
– To nie je Giewont. A widzita tom drugom górke?

– Tak.
– To tyz nie je Giewont. A widzita, kochani, tom trzeciom górke?
– Nie.
– To je Giewont.

Zmarznięty w czasie śnieżycy turysta puka do bacówki. Otwiera baca.
– Macie, baco, coś do jedzenia?
– Niii!
– To może chociaż wrzątek macie?
– Mom... ino zimny.

Ten sam turysta w następne wakacje zachodzi w deszczu do bacówki, baca gościnnie częstuje go gorącą strawą, turysta zajadając, spostrzega, że do talerza leci mu z góry woda...
– Baco, dach ci przecieka.
– Wim...
– To dlaczego nie naprawisz?
– Ni mogę, przeciez dysc leje.
– To dlaczego nie naprawisz, kiedy nie pada?
– A bo wtedy nie cieknie...

Zapisują bacę do spółdzielni produkcyjnej.
– Dacie krowę do spółdzielni?
– Dom.
– Dacie konia do spółdzielni?
– Dom.
– Dacie owce do spółdzielni?
– Nie dom.
– Dlaczego?
– Bo mom.

Dzieci podchodzą do hrabiego spacerującego po parku i, wskazując na zamek, pytają:
– Czy pan mieszka w tym zamku?
– Tak.
– A czy tam nie ma żadnego straszydła?
– Nie ma. Jestem jeszcze kawalerem.

Do pokoju hrabiego wchodzi lokaj i mówi:
– Panie hrabio, znowu przyszedł ten żebrak, który twierdzi, że jest pana bliskim krewnym i że może tego dowieść.
– To chyba jakiś idiota?
– Ja też tak pomyślałem, ale to jeszcze nie dowód!

Zdenerwowana matka pisze do nauczycielki: „Bardzo prosimy już nigdy więcej nie bić Jasia! To słabe, dobre, biedne dziecko. My sami nigdy go nie bijemy. Chyba że w obronie własnej...”.

W liście z kolonii Jasiu pisze do rodziców: „Tutaj jest pięknie, jestem bardzo zadowolony, dużo leżę i odpoczywam. Bądźcie spokojni i nie martwcie się o mnie. PS Co to jest epidemia?”.

Pani w szkole:
– Czy pamiętaliście, aby przez weekend zrobić dwa dobre uczynki?
Na to odzywa się Jaś:
– Tak. Jak przyjechałem w sobotę do cioci, to się ucieszyła, a jak następnego dnia wyjeżdżałem, cieszyła się jeszcze bardziej!

Jasio przychodzi do domu. Mama pyta:
– Dlaczego masz takie brudne ręce?
– Bo bawiłem się w piaskownicy.
– Ale dlaczego masz czyste palce?!
– Bo gwizdałem na psa.

Jasio przynosi do domu torbę pełną jabłek.
Mama pyta go:
– Skąd masz te jabłka?
Na to Jasiu:
– Od sąsiada.
– A on o tym wie? – dopytuje się mama.
– No pewnie, przecież mnie gonił!

Mama mówi do synka:
– Jasiu, dlaczego już się nie bawisz z Kaziem?
– A czy ty, mamusiu, chciałabyś się bawić z kimś, kto kłamie, bije i przeklina?
– Oczywiście, że nie.
– No widzisz. Kaziu też nie chce!

Pani na polskim każe dzieciom opisać, jak wygląda praca dyrektora. Po chwili pyta Jasia:
– A ty czemu nic nie piszesz?
Na to Jaś odpowiada:
– Czekam na sekretarkę.

Na tonącym okręcie spanikowany pasażer podbiega do kapitana i pyta:
– Kapitanie, a daleko stąd do najbliższego lądu?
– Uuuu! Będzie jakieś dwa kilometry.
– Dwa kilometry? Hmm. W którą stronę płynąć?
– W dół.

Wędkarz opowiada kolegom o swoim ostatnim sukcesie wędkarskim. W pewnej chwili przerywa i mówi:
– Zresztą, co wam będę opowiadał... Kiedy wyciągnąłem tego suma, woda w jeziorze obniżyła się o pół metra.

Głos z radia:
– Czas na poranną gimnastykę. Jesteście gotowi? No to zaczynamy! Góra–dół, góra–dół...
A teraz druga powieka!

– Tatusiu, dlaczego oceny niedostateczne w moim dzienniczku podpisujesz trzema krzyżykami?
– Bo nie chcę, aby nauczyciel pomyślał, że normalny człowiek może być ojcem takiego nieuka.

Dwie przyjaciółki spotkały się na mieście. Weszły do kawiarni i zamówiły dwie kawy.
– Tylko w czystej filiżance! – zastrzega sobie jedna z nich.
Po chwili kelner przynosi kawę.
– Która z pań zamawiała w czystej filiżance?

W sądzie:
– Czy oskarżony był już karany?
– Tak, za konkurencję.
– Za konkurencję się nie karze! A co oskarżony robił?
– Takie same banknoty jak mennica państwowa.

Dwóch wariatów rozbraja bombę.
– A jak wybuchnie? – pyta jeden.
– Nic nie szkodzi, mam drugą...

Znalazłem ogłoszenie w gazecie, że przyjmą pracownika do zoo. Poszedłem do dyrektora zoo, a on przedstawił całą sytuację. W zoo padł goryl. Podobno sprowadzenie nowego zajmuje sporo czasu, więc... Moim zadaniem było siedzenie w klatce w przebraniu goryla, huśtanie się itd...
Wczoraj było nudno (w środku tygodnia jest niewielu zwiedzających), więc się huśtałem i nagle, gdy za mocno się bujnąłem, wyrzuciło mnie wprost do klatki lwa. Nogi mi się ugięły, zaczynam latać od krat do krat i wrzeszczę: „Lew! Ratunku!". Ale tak sobie patrzę, że ten lew jakoś tak stoi w miejscu i dziwnie na mnie patrzy... Trochę nawet jakby

z przerażeniem. I nagle woła: – Ty, cicho bądź, bo nas obu z tej roboty wywalą!

Do wytwórni pasztetów przyjechała kontrola z sanepidu. Inspektor z sanepidu pyta:
– Czy ten pasztet z zająca jest naprawdę z zająca?
– Tak, ale prawdę mówiąc, dodajemy jeszcze koninę.
– A w jakich proporcjach?
– Pół na pół... Jeden zając, jeden koń.

Słoń i mrówka wloką się przez pustynię. Skwar, żar i ani kropli wody.
– Już nie mogę – jęczy słoń. – Umrę z pragnienia!
– Weź się w garść, słoniku! – pociesza go mrówka. – Na najbliższym postoju dam ci łyk wody z mojej manierki.

Mówi jasnowidz do jasnowidza:
– Wiesz co?
– Wiem.

Złapano mrówkę na gorącym uczynku, jak zabijała słonia. Za swój czyn stanęła wkrótce przed sądem.
Sędzia pyta ją:
– Dlaczego to zrobiłaś?
Na to mrówka:
– Cóż, takie są prawa dżungli.

Na gałęzi wiszą dwa leniwce.
Mija pierwszy dzień i nic. Mija drugi i też nic. To samo trzeciego dnia. Czwartego dnia jeden z leniwców powoli ruszył głową.
Na to drugi:
– Roman, aleś ty nerwowy!

W dżungli siedzą trzy małpy i rozmawiają:
– Wczoraj wróciłam z trzydniowej wycieczki do Holandii – mówi pierwsza – i, wyobraźcie sobie, kupiłam krowę-holenderkę.
Druga na to:
– A ja wczoraj wróciłam ze Szwajcarii i kupiłam sobie złoty zegarek.
Trzecia małpa milczy i zazdrości.
Następnego dnia małpy spotykają się w tym samym miejscu. Pierwsza mówi:

– Ktoś mi ukradł moją krowę!
Druga:
– Gdzieś mi zginął mój zegarek!
Trzecia, spoglądając na zegarek, mówi:
– O, już druga! Pora doić krowę! Pa!

Przed sklepem w lesie stoi w kolejce mnóstwo zwierząt: niedźwiedzie, lisy, wilki, jeże. Przez kolejkę przepycha się zając. Rozpycha inne zwierzęta łokciami, wreszcie jest na początku kolejki. W tym momencie łapie go niedźwiedź i mówi:
– Ty, zając, gdzie się wpychasz?! Na koniec!
I rzuca go na koniec kolejki. Zając znowu się przepycha, ale znowu łapie go niedźwiedź i odrzuca na koniec. Zając powtarza swój wyczyn jeszcze kilka razy, ale za każdym razem niedźwiedź wyrzuca go na koniec. Wreszcie obolały zając otrzepuje się z kurzu i mówi do siebie:
– Nie to nie. Nie otwieram dzisiaj sklepu!

Rozmawia dwóch sąsiadów.
– Mój koń jest bardzo mądry – mówi jeden.
– Dlaczego? – pyta drugi.
– Gdy mówię: „Idziesz czy nie?”, to on idzie albo nie.

Program otwarcia pewnej wystawy rolniczej przedstawiał się tak:
Godz. 11.00 – przyjazd nierogacizny i bydła rogatego.
Godz. 12.00 – przybycie zaproszonych gości.
Godz. 13.00 – wspólny obiad.

Afryka. Rodzina pawianów je obiad. W pewnej chwili matka zwraca się do synka:
– Jedz kulturalnie tego banana nożem i widelcem, a nie tak jak ludzie – łapami...

Idą dwie żmije. Jedna mówi do drugiej:
– Czy my jesteśmy jadowite?
– Tak. A czemu pytasz?
– Bo właśnie ugryzłam się w język!

Siedzą dwie myszy w archiwum filmów:
– Co jesz?
– „Potop".
– Dobre?
– Książka była lepsza.

Pułkownik do majora: Jutro o 9.00 nastąpi zaćmienie Słońca, co nie zdarza się każdego dnia. Niech wszyscy żołnierze wyjdą na plac ćwiczeń, będę im udzielał wyjaśnień. W razie deszczu, ponieważ i tak nic nie będzie widać, proszę zebrać ludzi w sali gimnastycznej.

Major do kapitana: Na rozkaz pułkownika jutro o godzinie 9.00 rano odbędzie się uroczyste zaćmienie Słońca. Jeśli zajdzie konieczność deszczu, pan pułkownik wyda w sali gimnastycznej oddzielny rozkaz, co nie zdarza się każdego dnia.

Kapitan do porucznika: Na rozkaz pułkownika jutro o 9.00 nastąpi zaćmienie Słońca. W razie deszczu zaćmienie odbędzie się w sali gimnastycznej, co nie zdarza się każdego dnia.

Porucznik do sierżanta: Jutro o 9.00 pułkownik zaćmi Słońce na sali gimnastycznej, co nie zdarza się każdego dnia.

Sierżant do kaprala: Jutro o 9.00 nastąpi zaćmienie pułkownika z powodu Słońca. Jeżeli na sali gimnastycznej będzie padał deszcz, co nie zdarza się każdego dnia, zebrać wszystkich na placu ćwiczeń.

Dwaj szeregowi pomiędzy sobą: Zdaje się, że jutro będzie padał deszcz. Słońce zaćmi pułkownika na sali gimnastycznej. Nie wiadomo, dlaczego nie zdarza się to każdego dnia...

Policjant wychodzi z domu. Żona pyta:
– Dokąd idziesz?
– A nie powiem!
Wychodzi na ulicę, zamawia taksówkę i wsiada.
– Dokąd?
– A co pan myśli, żonie nie powiedziałem, a panu mam powiedzieć!

Rozmawia facet z Moskwy ze swoim kolegą z Syberii i mówi:
– Staaaaryyy, ale tam u was musi być zimno!
– Eeee, nieeee tak strasznie – mówi kolega – jakieś minus trzydzieści tylko...
– A w telewizji mówili, że minus pięćdziesiąt!
– Naprawdę? Tak w telewizji mówili?
– No tak.
– Minus pięćdziesiąt? – z niedowierzaniem pyta ten z Syberii. – Eeee, ale to chyba na zewnątrz...

– Tato, tato, dzik zaatakował babcię!
– Jak sam zaatakował, to niech się sam broni.

Wściekły profesor wchodzi do sali wykładowej i mówi:
– Wszyscy nienormalni mają wstać!
Nikt się nie rusza. Po dłuższej chwili wstaje jeden student.
– No proszę! – mówi ironicznie profesor i pyta studenta. – Czemu uważa się pan za nienormalnego?
– Nie uważam się za nienormalnego, ale głupio mi, że pan profesor tak sam stoi...

Po co słoń ma trąbę?
– Żeby się tak gwałtownie nie zaczynał...

Dlaczego psy australijskie są najszybszymi psami na świecie?
– Ponieważ w Australii odległości między drzewami są ogromne.

Dlaczego niedźwiedź chodzi w futrze?
– Bo w płaszczu przeciwdeszczowym wyglądałby raczej głupio.

Jaka jest różnica między koniem a koniakiem?
– Taka sama jak między rumem a rumakiem.

Od czego herbata jest słodka?
– Od mieszania.
Po co się sypie cukier?
– Żeby było wiadomo, jak długo mieszać.

Dlaczego orkiestra nie gra na moście?
– Bo most to nie instrument!

Jaka jest najwyższa forma życia zwierzęcego?
– Żyrafa.

Siedzi jeż i je śniadanie. Przykicał zajączek i pyta:
– Co jesz?
– Co zając? – odpowiada jeż.

Mąż mówi do żony:
– Nie twierdzę, kochanie, że twoja mama źle gotuje, ale zaczynam rozumieć, dlaczego twoja rodzina modli się przed obiadem!

Żona policjanta wysyła męża do sklepu po zapałki:
– Tylko kup takie, żeby się dobrze paliły – dodaje.
Po kwadransie policjant wraca, kładzie pudełko na stole i mówi zadowolony:
– Bardzo dobre zapałki. Wypróbowałem w sklepie. Wszystkie się palą.

Wysoki rangą policjant wzywa dwóch podwładnych. Pierwszemu wręcza 2 złote i mówi:
– Masz tu pieniądze, idź kupić jakiś dobry samochód, zatankuj, a resztę możesz wziąć dla siebie. A ty – zwraca się do drugiego – idź do domu i sprawdź, czy cię tam nie ma.
Policjanci salutują i wychodzą z gabinetu.
– Zwariował! – mówi pierwszy. – Każe mi robić zakupy, jakby nie wiedział, że dziś dzień świąteczny!
– Kompletny idiota! – przytakuje drugi. – Każe mi iść do domu, jakby nie miał telefonu i nie mógł sam sprawdzić, czy tam jestem!

Nowa nauczycielka rozpoczyna swoje pierwsze zajęcia w szkole. Prosi uczniów, aby przedstawiali się kolejno z imienia i nazwiska. Pierwsze dziecko:
– Adam Małysz.
Drugie:
– Adam Małysz.
Trzecie:
– Adam Małysz.
Przy dziesiątym nauczycielka traci cierpliwość i biegnie ze skargą do dyrektora szkoły. Ten patrzy jej prosto w oczy i mówi podniesionym głosem.
– Niech pani im nie wierzy. To ja jestem Adam Małysz!

Przed bramą nieba staje ksiądz i kierowca autobusu. Święty Piotr mówi:
– Kierowco, ty do nieba, a ty, księże, do czyśćca.
– Ale czemu tak? – pyta ksiądz.
– Bo widzisz, jak ty prawiłeś kazania, to wszyscy spali, a gdy on prowadził autobus, to wszyscy się modlili.

Jasio mówi do mamy:
– Mamusiu, chciałbym ci coś dać pod choinkę.
– Nie trzeba, syneczku. Jeśli chcesz mi sprawić przyjemność, to popraw swoją jedynkę z matematyki.
– Za późno, mamusiu. Kupiłem ci już perfumy.

– Jasiu – mówi tata. – Chcę, żebyś wiedział, że dostałeś ode mnie takie solidne lanie, bo bardzo cię kocham!
– Tatusiu, ja chyba nie zasługuję na tyle miłości...

Opis krowy: Krowa to ssak. Ma ona sześć stron: prawą, lewą, przód, tył, spód i wierzch. Za krową znajduje się ogon zakończony małym pomponikiem. Krowa posługuje się nim do odpędzania much od siebie i od mleka. Głowa krowy służy do rogów, no i jej pysk musi gdzieś znaleźć miejsce. Rogi służą do bodzenia, a pysk do muczenia. Pod krową wisi mleko, które służy do dojenia. Krowa ma delikatny węch, czuje się ją z daleka. Pan krowa nazywa się byk. On nie jest ssakiem. Krowa nie je dużo, ponieważ wszystko, co zje, zjada dwukrotnie. Kiedy krowa jest głodna, robi muuu! A kiedy nie mówi nic, oznacza to, że w środku ma pełno trawy aż po czubki rogów...

– Janie, idź podlej kwiaty w ogrodzie.
– Ale przecież pada deszcz.
– To weź parasol!

Siedzi baca na skale i liczy:
– 121, 121, 121...
Przechodzi turysta i pyta:
– Co tak liczycie, baco?
Baca strąca turystę ze skały i liczy dalej:
– 122, 122, 122...

Nad Morskim Okiem siedzi stary gazda i gwiżdże sobie pod nosem. Przechodzący turyści pozdrawiają go i pytają:
– Co tu robicie?
– Łowię pstrągi.
– Przecież nie macie wędki.
– Pstrągi łowi się na lusterko.
– W jaki sposób?
– To moja tajemnica. Ale jeśli dostanę flaszkę, to ją wam zdradzę.
Zaciekawieni turyści wrócili do schroniska, kupili butelkę wódki i zanieśli ją gaździe.
On tłumaczy...
– Wkładam lusterko do wody, a kiedy pstrąg podpływa i zaczyna się przeglądać, to ja go kamieniem i już jest mój...
– Ciekawe... A ile już tych pstrągów złowiliście?
– Jeszcze ani jednego, ale mam z pięć flaszek dziennie...

Policjant zatrzymuje bacę jadącego furmanką.
– Baco, co wieziecie?
Baca nachyla się i szepcze:
– Siano.
– Czemu tak cicho mówicie?
– Żeby koń nie usłyszał!

Dwie blondynki kłócą się, na co pójść do kina:
– Chodźmy na „Matrixa".
– Nie, lepiej na „Aniołki Charliego".
– Lepiej na „Matrixa"!
– Nie, na „Aniołki"!
Wtrąca się brunetka:
– To może pójdziecie na kompromis?!
Blondynki:
– Fajnie, a gdzie grają?

Siedzą dwie blondynki i plotkują.
– Wiesz, kocham naturę – mówi jedna.
– Tak? To dziwne, szczególnie po tym, co z tobą zrobiła...

Idą dwie łodzie podwodne przez las i nagle jedna krzyczy do drugiej:
– Ej, zobacz, tam nad nami leci telewizor!
Na to druga odpowiada:
– No rzeczywiście, pewnie gdzieś tu ma swoje gniazdko!

Idzie koń, patrzy: krowa siedzi na drzewie.
– Ej, co ty robisz na tym drzewie?

– Śliwki jem.
– Jak to jesz śliwki? Przecież to sosna.
– To nic. Śliwki mam w reklamówce.

MacGyver został zamknięty wraz z kolegą w celi w wysokiej i niedostępnej wieży. Siedzą tak sobie, siedzą i nagle odzywa się MacGyver:
– Ty, masz może zapałki?
– Niestety, nie...
– No to z helikoptera nici...

Co mówi jeż, kiedy w nocy wpada na kaktus?
– To ty, mamo?

Przychodzi koń do najdroższej restauracji w Warszawie:
– Poproszę szklankę wody – mówi do kelnera.
Kelner robi zdziwioną minę, ale przynosi wodę. Następnie przychodzi z rachunkiem i daje go koniowi, a potem mówi:
– Hmm, nieczęsto widujemy tu... no, ten... konie.
– A pan się dziwi, woda za 20 zł!

Dwóch Szkotów spotyka się w Edynburgu.
– Czy możesz pożyczyć mi funta?
– Och, niestety, nie mam przy sobie pieniędzy.
– A w domu?
– Dziękuję, wszyscy zdrowi.

– Co to jest?
– Czarne jagody.
– To dlaczego są czerwone?
– Bo są jeszcze zielone.
– A jak dojrzeją to będą czarne?
– Nie, granatowe.

Przychodzi żaba do lekarza ze skarpetą na głowie.
– Co pani dolega? – pyta lekarz.
– Nic. To jest napad!

Blondynka w restauracji zamawia pizzę. Kelner pyta:
– Pokroić pani pizzę na 12 kawałków?
A na to blondynka:
– Nie, 12 nie zjem, ale proszę na 6 kawałków.

Polak, Niemiec i Mongoł brali udział w konkursie pt. „Kto zetnie więcej drzew piłą spalinową w ciągu jednego dnia".
Polak ściął 150 drzew, Niemiec 100, a Mongoł 500! Ogłaszają wyniki:
– Pierwsze miejsce Polak z wynikiem 150 drzew!
– Drugie miejsce Niemiec z wynikiem 100 drzew!
– Mongoł zdyskwalifikowany, bo nie odpalił piły.

Idą trzy mrówki przez pustynię. Jedna poszła w lewo, druga w prawo, a trzecia poszła za nimi.

W przedszkolu pani kazała dzieciom narysować portret babci i dziadka z okazji ich święta. Po zajęciach Małgosia czym prędzej pobiegła do domu pokazać obrazki. Wchodzi do domu i krzyczy:
– Babciu, namalowałam ciebie i dziadka!
– Ojejku, jakie ja mam piękne włosy – zachwyca się babcia.
Po chwili przychodzi dziadek:
– Kochanie, a czemu ja mam tylko trzy włoski na głowie?
A wnuczka odpowiada:
– Bo łysej kredki nie było!

Turysta pyta bacę:
– Baco, dlaczego wywiesiliście przed drzwiami tabliczkę „Uwaga, zły pies”, skoro macie małego pieska?
– Bo już mi trzy razy go zdeptali!

Koniec roku szkolnego. Jasio wraca do domu. Po drodze spotyka sąsiadkę.
– Jasiu, co ci tak wesoło?
– Jeszcze tylko lanie i wakacje!

Kogut przyjechał pewnego razu do miasta. Staje przed sklepem, w którym smażą się kury na rożnie, i myśli sobie:
– No ładnie! Karuzela. Solarium. A we wsi nie ma do kogo nawijać!

Trzy nietoperze na gałęzi wiszą głowami na dół. Po chwili jeden z nich przekręcił się do góry. Pozostałe dwa mówią na to:
– O rany, Zenek zemdlał!

Wpada koń do baru, siada na jednym z wysokich stołków i mówi:
– Barman! Małe jasne proszę!
Barman podał mu piwo, koń wypił, zapłacił i poszedł. Podchmielony facet ze stołka obok zbliża głowę do barmana i mówi:
– Dziwne...
A barman:
– Dziwne... zawsze pił duże jasne...

Podchodzi mamut do mamucicy...
On: – Muuuuuuuuuuuuu!!!!!
Ona: – Muuuuu??????
Sytuacja się powtarza...

On: – Muuuuuuuuuuuuu!!!!!
Ona: – Muuuuu??????
Sytuacja się powtarza...
On: – Muuuuuuuuuuuuu!!!!!
Ona – Muuuuu??????
I tak wyginęły mamuty...

– Zajączku, co piszesz? – pyta wilk.
– Doktorat na temat wyższości zajączków nad wilkami!
– Ja ci zaraz pokażę!
I goni za zającem w krzaki. Zakotłowało się. Po chwili z krzaków wychodzi potargany wilk, a za nim niedźwiedź:
– Trzeba się było zapytać, kto jest promotorem!

Dzwoni telefon. Pies odbiera i mówi:
– Hau!
– Halo?
– Hau!
– Nic nie rozumiem.
– Hau!
– Proszę mówić wyraźniej!
– H jak Henryk, A jak Agnieszka, U jak Urszula: Hau!!!

Chodzi sobie jeżyk dookoła beczki, chodzi i chodzi. W pewnym momencie zdenerwował się i krzyczy:
– Kiedy ten płot się skończy?

Przychodzi żółw do sklepu i mówi:
– Poproszę wiadro wody.
Sprzedawca podaje mu wiadro.
Żółw:
– Ile płacę?
– Nic, weź sobie.
Następnego dnia znów przychodzi po wiadro wody. Trzeciego dnia sprzedawca nie wytrzymał i pyta:
– Dlaczego codziennie przychodzisz, żółwiu, po wiadro wody?
Żółw na to:
– My tu gadu, gadu, a mi się chałupa pali...

Przychodzi dziadek do lekarza:
– Panie doktorze, skleroza coraz bardziej mi dokucza.
– A jak się to objawia?
– Co jak się objawia?

Wnuczek pyta dziadka:
– Dziadku, czemu słuchasz tylko muzyki techno?
A dziadek odpowiada:
– Bo tylko taką słyszę.

Dziennikarz przeprowadza wywiad z ludożercą:
– Czy w waszym państwie płacicie podatki?
– Nie.
– Nie? A dlaczego?
– Zjedliśmy ministra finansów i teraz nie ma chętnego na zajęcie jego stanowiska.

Spotykają się dwaj jaskiniowcy.
– Cześć, australopitek!
– Nie jestem australopitek, tylko neandertalczyk!
– Gościu! Aleś ty zważniał przez ten milion lat!

– Co to jest różniczka?
– Wyniczek odejmowanka.

– Gdzie twoja skorupka? – pyta żółw młodego żółwika bez pancerza.
– Zwiałem z domu!

W ogrodzie zoologicznym zwiedzający pyta dozorcę:
– Kiedy pan będzie karmić małpy?
– A co, jest pan głodny?

Dwóch właścicieli psów kłóci się, czyj pies jest mądrzejszy:
– Mój pies, zawsze jak wraca do domu, dzwoni do drzwi – mówi pierwszy.
– Mój nie musi – odpowiada drugi. – Ma własny klucz.

– Jasiu, jak będziesz niegrzeczny, to zamienię cię na inne, grzeczne dziecko – mówi mama.
– Dobra, dobra, żadna mama nie będzie chciała wymienić swojego grzecznego dziecka na mnie...

– Co przyniosłeś w tym futerale na skrzypce? – dziwi się nauczycielka muzyki. – Przecież to karabin maszynowy!
– Ale heca! Tata poszedł robić napad na bank ze skrzypcami!

– Jakie ryby najbardziej lubią matematycy?
– Sumy.

– Mamo, dziś na chemii uczyliśmy się o materiałach wybuchowych!
– O bardzo ciekawe... A na którą jutro idziecie do szkoły?
– Do jakiej szkoły?

– Czy tata ciągle odrabia za ciebie lekcje? – pyta pani nauczycielka Jasia.
– Nie, ta ostatnia jedynka kompletnie go załamała...

– Jakie jest pana największe marzenie?
– Obrobić bank i zostawić odciski palców teściowej...

– Żebyś wiedział, jak mi się nie chce iść do tych Kowalskich!
– A myślisz, że mnie się chce? Ale wyobraź sobie, jak oni się ucieszą, gdy nie przyjdziemy...
– Masz rację. Chodźmy!

– Tato, dlaczego ten pociąg zakręcowywuje?
– Nie mówi się „zakręcowywuje", tylko „zakręca"!
– No to dlaczego on zakręca?
– Bo mu się szyny wygły.

Pyta dziennikarz górala siedzącego na progu.
– Baco, co robicie, kiedy macie wolny czas?
– A, tak sobie siedzę i myślę.
– A jak nie macie czasu?
– To ino sobie siedzę.

Siedzi facet na balkonie, nagle patrzy, a tu ślimak łazi po barierce. Facet się zdenerwował i pstryknął go tak, że ślimak spadł z barierki z dziesiątego piętra. Minął rok i nagle słyszy dzwonek do drzwi. Otwiera, patrzy, a tam stoi ten ślimak i mówi:
– Te, facet, to przed chwilą, to co to miało być?

Przychodzi baba do lekarza.
– Proszę pana, nikt mnie ostatnio nie zauważa!
– Następny proszę!

Dwie blondynki na targu. Jedna z nich mówi:
– Patrz: ziemniak w zamszu!
– Głupia jesteś, to kiwi, taka pasta do butów.

Rok 4000. Nad rzeką odpoczywa stado krokodyli.
– Dziadek mówi, że kiedyś mieliśmy grubą zieloną skórę! – mówi jeden ze zwierzaków.
– No, i podobno umieliśmy pływać! – dorzuca drugi.
– Może. Dość już tych bajań. Lecimy zbierać nektar – kończy trzeci.

W restauracji gość zwraca się do kelnera:
– Gulasz proszę i dobre słowo.
Po kilku minutach kelner przynosi gulasz.
– A dobre słowo? – pyta gość.
Kelner nachyla się i mówi:
– Niech pan tego nie je.

Przychodzi facet do sklepu i pyta:
– Czy są fafkulce?
Sprzedawczyni dziwnie patrzy na faceta i mówi:
– Nie. Dzisiaj nie mamy fafkulców.
Następnego dnia facet znów przychodzi:
– Dzień dobry. Są już może fafkulce?
Sprzedawczyni na to:
– Nie, nie ma.
Facet codziennie przychodzi do tego sklepu i wciąż pyta o fafkulce. Pewnego dnia znów przychodzi.
– Dzień dobry. Są fafkulce?
Sprzedawczyni rozzłoszczona:
– Nie, nie ma fafkulców i nie będzie, bo nawet nie wiem, co to jest!
A facet na to:
– Trudno. To poproszę fa w sprayu...

Zarozumiały młokos pyta fryzjera:
– Czy pan już kiedykolwiek kogoś strzygł?
– Owszem. Gdy byłem młodzieńcem, strzygłem barany i dziś, po tylu latach, przytrafił mi się kolejny.

– Jak można stracić na wadze?
– Kupić wagę za 100 zł i sprzedać za 50 zł.

Popsuła się brama między piekłem a niebem. Żadna ze stron nie kwapiła się do naprawy, więc św. Piotr zaproponował mecz piłkarski – przegrana

strona naprawi bramę. Diabeł bardzo chętnie na to przystał. Św. Piotr zdziwiony pyta:
– Czemu jesteś taki chętny? Przecież to my mamy wszystkich najlepszych piłkarzy.
– Ale wszyscy sędziowie są u nas – odpowiada zadowolony diabeł.

Roztargniony profesor wchodzi do fryzjera i mówi:
– Proszę mnie ostrzyc.
– Z przyjemnością, panie profesorze, tylko proszę zdjąć kapelusz.
– Och, bardzo przepraszam! Nie zauważyłem, że tu są damy!

Fryzjer do klienta:
– Pańskie włosy zaczynają siwieć!
– Nic dziwnego, przy pańskim tempie strzyżenia...

Policjant pyta w księgarni:
– Czy jest „Pan Tadeusz"?
Sprzedawczyni odwraca się w stronę zaplecza i woła:
– Panie Tadziu, przyszli po pana!

Fryzjer, strzygąc klienta, zauważa:
– To śmieszne. Niedawno goliłem faceta, który nazywa się Kowal, a jest piekarzem. Albo pan: nazywa się Kucharski, a jest pan hydraulikiem.
– Co w tym śmiesznego? Pan nazywa się Brzytwa, a jest pan tępy!

– Jakie są pana przekonania polityczne? – pyta fryzjer klienta.
– Dokładnie takie same jak pańskie.
– Przecież pan nie zna moich przekonań.
– Ale pan ma w ręku brzytwę!

W wąskiej ulicy zbliża się dwóch gości: jeden z rottweilerem, drugi z jamnikiem. Wiadomo, że psy się pogryzą, ale żaden nie chce ustąpić. Tak zbliżają się do siebie i w końcu dochodzi do starcia. Kiedy kurz opadł, okazało się, że rottweiler leży zagryziony. Odzywa się właściciel rottweilera:
– Sprzedaj pan tego psa. Dam 1000 zł.
– Nie sprzedam.
– No to 2000 zł.
– Nie sprzedam.
– 3000, więcej nie mam.

– Panie! 3000 to kosztował aligator, a operacja plastyczna?

Staruszka przychodzi na badania kontrolne.
– No i jak się czujecie, babciu? – pyta lekarz.
– Znacznie lepiej, ale mam pytanie: czy mogę już zacząć wchodzić po schodach?
– Oczywiście.
– To chwała Bogu, bo to wchodzenie do mieszkania na trzecim piętrze po rynnie strasznie mnie męczyło.

Spanikowany słoń mówi do mrówki:
– Muszę się gdzieś szybko schować!
A mrówka na to:
– Stań za mną. Nie rzucam się w oczy!

Przychodzi zajączek do sklepu i pyta:
– Po ile jest ten pyszny makowiec?
– Czternaście złotych za kg – mówi sprzedawca.
– A po ile są okruszki?
– Okruszki są za darmo.
– To poproszę dwa kilogramy okruszków.

Mała stonoga pyta mamę:
– Mamo, co to jest człowiek?
– To taka istota, której brakuje dziewięćdziesięciu ośmiu nóg! – odpowiada stonoga.

Idzie facet przez most, patrzy, a w rzece tonie człowiek i woła: „Help! Help!"
A on na to:
– Masz za swoje! Trzeba było się uczyć pływać, a nie angielskiego.

W pociągu siedzi wygodnie rozparty kowboj. Pali cygaro, puszczając kółka z dymu. Raz większe, raz mniejsze. Obserwuje go siedzący obok Indianin i wreszcie mówi:
– Powiedz jeszcze jedno słowo, a przysięgam, że dostaniesz!

Mówi kolega do kolegi:
– Nie przychodź już więcej do nas do domu.
Ten zdziwiony pyta:
– Dlaczego?

– Bo wiesz, jak ostatnio u nas byłeś, to zginęły nam pieniądze. W sumie znalazły się potem, ale niesmak pozostał...

Wysoko w konarach olbrzymiego drzewa leży maluch. Pod drzewem stoi zdezorientowany kierowca auta i, drapiąc się po głowie, myśli: „To, że słaby – wiedziałem, to, że się psuje – też wiedziałem, ale że boi się psów!?".

Przychodzi facet do huty, mając nadzieję, że dostanie pracę. Sekretarka prosi go o wypełnienie CV. Facet rysuje krzyżyki, na co oburzona sekretarka krzyczy:
– Najpierw się pan naucz pisać, a potem szukaj pracy!
Za jakieś 10 lat ten sam facet kupuje w drogim sklepie kosztowną biżuterię, zegarki. Płaci gotówką, na co ekspedientka:
– Mógł pan przecież wypisać czek.
– Proszę pani, jak ja bym umiał pisać, to dalej bym w hucie pracował! – odpowiada facet.

Początki motoryzacji. Hrabia ze służącym jadą automobilem. Wyprzedza ich bryczka zaprzężona w cztery konie.
– Janie, przyspiesz do trzydziestu. Spójrzmy śmierci w oczy! – rzuca hrabia.

Dziadek parkuje starego poobijanego malucha przed budynkiem sejmu. Nagle wyskakuje ochroniarz i zaczyna krzyczeć:
– Zjeżdżaj stąd! To jest sejm. Tu się kręcą posłowie i senatorowie!
A dziadek na to:
– Ja się nie boję, mam założony alarm.

Do Kowalskiego na środku jeziora podpływa policjant i pyta:
– Ma pan kartę pływacką?
– Mam – odpowiada Kowalski i wyciąga kartę.
– Żarty pan sobie robi? Przecież to joker!
– To nie wie pan, że joker zastępuje każdą kartę?

Pan Kowalski nie ma w samochodzie alarmu, więc zawsze po powrocie do domu zostawia za szybą

karteczkę z napisem:
„Brak benzyny, akumulatora i silnika".
Pewnego dnia, gdy chciał pojechać samochodem do pracy, na karteczce zobaczył dopisek:
„W takim razie koła też ci nie będą potrzebne".

Na dyskotece chłopak podchodzi do dziewczyny.
– Tańczysz?
– Tańczę, śpiewam, gram na gitarze...
– Co ty pleciesz?
– Plotę, wyszywam, lepię garnki...

Ojciec gimnazjalistki, która zwykle godzinami rozmawia z przyjaciółmi przez telefon:
– Nie do wiary! Rozmawiałaś tylko 15 minut? Czyżbyś poznała jakiegoś małomównego chłopaka?
– Nie, to pomyłka.

Do gabinetu dyrektora wpada jego podwładny. Wylewa mu kawę na koszulę, pokazuje język i wygarnia wszystkie swoje krzywdy, rzucając obelgi. Minutę później koledzy mówią do raptusa:
– Jasiu! Te liczby w lotto to był żart...

Czym różni się mężczyzna od telefonu komórkowego?
– Niczym. Albo pomyłka, albo zajęty, albo poza zasięgiem.

Trzech oprychów uzbrojonych w noże zaczepia przechodnia. Żądają pieniędzy. Napadnięty mówi:
– Lepiej spływajcie. Znam judo, karate, kung-fu...
Gdy napastnicy uciekli, dodaje:
– I jeszcze kilka innych japońskich słów.

Szef do swojej sekretarki:
– Wszystko robi pani za wolno: wolno pisze pani na komputerze, wolno robi kawę, wolno się pani porusza – czy robi pani coś szybko?
– O tak! Bardzo szybko się męczę!

Dwóch myśliwych z Teksasu polowało na łosie na Alasce. Obaj upolowali piękne sztuki. Wrócili do samolotu, którym przylecieli, a pilot mówi, że nie wystartują z dwoma upolowanymi łosiami, jeden musi zostać.

– Bzdury! – krzyczy jeden z myśliwych. – Kiedy byliśmy tu w zeszłym roku, pilot dał radę.
Pilot się zdenerwował i mówi:
– Jeżeli on to zrobił, to ja też potrafię. Nie latam gorzej niż inni!
Załadowali się, silnik na pełną moc i startują. Niestety, nie wznieśli się nad drzewa. Zahaczyli o wierzchołki, samolot spadł i rozbił się. Poturbowani wychodzą z krzaków, a pilot potrząsa głową i pyta:
– Gdzie jesteśmy?
Jeden z myśliwych podnosi się z ziemi i mówi:
– Powiedziałbym... że przynajmniej sto metrów dalej niż w zeszłym roku...

Dziadek karci wnuka:
– Wiesz, gdy byłem uczniem, to z historii miałem same piątki!
– Tak, dziadku, ale historia była wtedy o wiele krótsza.

Spotykają się dwa jeże. Jeden pyta drugiego:
– Dlaczego masz zawiniętą łapę?
Drugi odpowiada:
– E, nic takiego. Chciałem się tylko podrapać w głowę.

Przychodzi turysta do górala i mówi:
– Góralu, powiedzcie: chrząszcz brzmi w trzcinie.
Góral na to:
– Chrobok burcy w trowie.

W pokoju hotelowym dzwoni telefon. Zaspany gość podnosi słuchawkę:
– Halo, słucham.
– Czy zamawiał pan budzenie na szóstą?
– Tak.
– To szybko, bo już dziewiąta.

Podchodzi łysy facet do lustra i mówi:
– Mam 80 lat i żadnego siwego włoska!

Przychodzi zajączek do sklepu misia i pyta:
– Czy jest dwukilogramowy chleb?
– Nie, nie ma.
Sytuacja powtarza się przez tydzień. Wreszcie miś się zdenerwował i upiekł taki chleb.
Następnego dnia przychodzi zajączek i pyta:
– Czy jest dwukilogramowy chleb?
– Jest.
– To poproszę pół.

Do sklepu zoologicznego przychodzi facet z niedźwiedziem brunatnym na łańcuchu i pyta:
– Gdzie ten łobuz, który dwa lata temu sprzedał mi tego chomika?!

Wycieczka odwiedziła muzeum. Zwiedzający wchodzą do małej salki, gdzie znajdują się dwie czaszki – jedna mała, druga duża. Jeden ze zwiedzających:
– Do kogo należała ta duża czaszka?
– Do Napoleona.
– A ta mała?
– Do Napoleona, kiedy był dzieckiem.

Przychodzi adwokat do skazańca i mówi:
– Mam dwie wiadomości: dobrą i złą – którą chcesz poznać pierwszą?
Więzień na to:
– Złą.
– Jutro będziesz stracony na krześle elektrycznym.
– A ta dobra wiadomość?
– Wynegocjowałem mniejsze napięcie.

Przychodzi zdenerwowany facet do baru.
– Panie barmanie, czy ja tu byłem wczoraj w nocy?
– Był pan.
– Czy przepiłem sto złotych?
– Przepił pan.
– No to całe szczęście, bo już myślałem, że zgubiłem.

Szef krzyczy na Kowalskiego, że ten znowu się spóźnił do pracy.
– Czy jak byliście w wojsku, to też się ciągle spóźnialiście na zbiórki?
– Tak.
– No i co sierżant wtedy mówił?
– Dzień dobry, panie majorze.

W nocy przerażona żona wrzeszczy do zaspanego męża:
– W kuchni piszczy mysz!
– I co? Mam ją naoliwić?

W muzeum na otwarciu wystawy rozmawiają dwaj malarze:

– Wiesz, jedyne obrazy, jakie można tu oglądać, to twoje!
– Dzięki, jesteś naprawdę miły. A dlaczego tak uważasz?
– Bo przed wszystkimi innymi cały czas stoją tłumy...

W autobusie pasażer do pasażera:
– Co się pan tak pcha na chama?
– A bo to człowiek wie, na kogo się pcha?

Baca oprowadza turystów po Tatrach.
– Tatry mają dwa miliony lat i trzy miesiące – mówi góral.
– Baco, skąd wy to wiecie tak dokładnie?
– A był tu jeden profesor trzy miesiące temu i gadał, że mają dwa miliony lat. To ile mogą mieć teraz?!

Kolega dzwoni do kolegi.
– Stary, wczoraj buchnęli mi brykę!
– Dzwoniłeś na policję? – pyta kolega.
– Pewnie, powiedzieli, że to nie oni.

Na walkę z Gołotą do Polski przyjechał Mike Tyson. Do walki zostały dwa dni. Niestety, Gołota przestraszył się przeciwnika i zrezygnował. Organizatorzy za dużo już zainwestowali w walkę i nie chcieli odwoływać spotkania. Dali do gazety ogłoszenie, że szukają boksera. Zgłosił się Józek, rolnik z zapadłej wsi.
– Jeśli wytrzymasz pierwszą rundę, damy ci 1000 dolarów – powiedzieli organizatorzy ochotnikowi. Dochodzi do starcia. Tyson okłada Józka, ten stoi niewzruszony. Sołtys ze wsi, będący trenerem zawodnika, pyta Józka:
– Józek, wytrzymosz?
– Wytrzymom, wytrzymom – odpowiada tamten ze spokojem. Runda druga, Tyson wykorzystuje wszystkie swoje siły i umiejętności.
– Józek, wytrzymosz? – pyta sołtys.
– Nie, nie wytrzymom – mówi Józek. – Zarozki mu oddom!

Rozmawiają dwa psy.
– Wczoraj nauczyłem mego pana nowej sztuczki – mówi jeden.
– Tak? Jakiej?
– Jak mu podaję łapę, to on mi daje swoją.

Rolnik rozmawia z rolnikiem.
– Wiesz, u mnie po dzisiejszym przymrozku zaczęły rosnąć pomidory.
– Tak?! A u mnie po tym wczorajszym kwaśnym deszczu to wyrosły kwaszone ogórki.

Młody malarz pyta majstra, co ma zrobić.
– Pomaluj okno w dużym pokoju.
Po godzinie malarz wraca i pyta:
– Czy ramy i parapet też mam pomalować?

Para w średnim wieku z USA w środku mroźnej zimy zdecydowała się pojechać na Florydę i zamieszkać w hotelu, w którym przed laty spędziła noc poślubną. Mąż pojechał o dzień wcześniej. Po zameldowaniu się w recepcji odkrył, że w pokoju jest komputer i postanowił wysłać maila do żony. Niestety, pomylił się o jedną literę. Mail znalazł się w ten sposób w Houston u wdowy, która wróciła właśnie do domu z pogrzebu męża i chciała sprawdzić, czy w poczcie elektronicznej są jakieś kondolencje. Jej syn znalazł ją zemdloną przed komputerem i przeczytał:
Do: Moja ukochana żona

Temat: Jestem już na miejscu.
Wiem, że jesteś zdziwiona otrzymaniem wiadomości ode mnie. Teraz mają tu komputery i można wysyłać maile do najbliższych. Właśnie zameldowałem się. Wszystko jest przygotowane na twoje przybycie jutro. Cieszę się na to spotkanie. Mam nadzieję, że twoja podróż będzie równie bezproblemowa jak moja.
PS Tu jest naprawdę gorąco!

Przychodzi asystent ds. personalnych do swojego szefa z pokaźnym plikiem dokumentów:
– Zrobiłem wstępną selekcję. To są dokumenty osób, z którymi warto się spotkać, spełniają wszystkie kryteria.
Szef bierze plik dokumentów, odmierza połowę i wyrzuca do kosza. Drugą część oddaje podwładnemu:
– Z tymi ludźmi się spotkamy.
Oniemiały asystent nieśmiało protestuje:
– Jak to?... Ależ oni wszyscy spełniają kryteria...
– Proszę pana – przerywa szef – nam tu nie potrzeba ludzi, którzy mają pecha.

Dzwoni telefon.
– Sklep obuwniczy, słucham.
– Ojej! Przepraszam, pomyliłem numery.
– Nic nie szkodzi! Proszę przyjść, to wymienimy.

Na budowie kierownik do robotników:
– Dlaczego niesiecie tę deskę we dwóch?
– Bo trzeci jest na zwolnieniu.

Wchodzi gość do baru i od progu woła:
– Drinki dla każdego, łącznie z barmanem!
Goście rzucili się do baru. Kiedy było po wszystkim, barman mówi:
– To będzie 40 dolarów.
– Nie mam tyle.
Barman obił mu gębę i wyrzucił za drzwi. Następnego dnia ta sama sytuacja. Gość zamawia drinki dla wszystkich, w tym dla barmana, nie płaci rachunku, dostaje w pysk i wylatuje za drzwi. Trzeciego dnia to samo.
Dzień czwarty, gość wchodzi i z miejsca:
– Drinki dla wszystkich z wyjątkiem barmana!
– A co z drinkiem dla mnie? – pyta barman.
– Ty nie dostaniesz, bo jak wypijesz, to stajesz się agresywny.

– Dlaczego aborygen nie może kupić sobie nowego bumeranga?
– Ponieważ nie może wyrzucić starego!

Młody, niedoświadczony człowiek dostał pracę w pewnej wielkiej, znanej firmie. Pracował przez tydzień, radził sobie średnio, a tu nagle wzywa go dyrektor biura:
– Szanowny panie – mówi – zdecydowaliśmy się przenieść pana na wyższe stanowisko. Teraz będzie pan kierownikiem działu.
Tak też się stało. Po tygodniu dość marnej pracy młodego człowieka wzywa szef koordynacji działów i mówi:
– Szanowny panie, zdecydowaliśmy się awansować pana. Od jutra będzie pan szefem filii w sąsiednim województwie.
I tak mija kolejny tydzień takiej sobie pracy – ale oto sam prezes firmy wzywa młodego człowieka do siebie.
– Postanowiłem cię awansować. Teraz będziesz szefem naszej firmy na całą Polskę. Twoja pensja będzie dziesięciokrotnie większa niż dotychczas. Będziesz miał do dyspozycji służbowe auto, własny gabinet, będziesz wyjeżdżać na wiele zagranicznych delegacji.

– Dziękuję! – mówi ucieszony młody człowiek.
– I tylko tyle? – pyta prezes. – Taka propozycja, a tu tylko „dziękuję”?
– Dziękuję, tato!

– Tatusiu, widziałem, jak nasz sąsiad gonił ruszający z przystanku autobus.
– I co?
– Poszczułem go naszym Burkiem i zdążył.

– Kaziu, czy umyłeś wreszcie uszy?
– Nie, bo jeszcze słyszę.

Złowił rybak złotą rybkę, a rybka każe mu powiedzieć trzy życzenia.
Rybak mówi pierwsze:
– Chcę mieć mercedesa.
– A rybka na to:
– Za gotówkę czy na raty?
Rybak na to:
– A ty chcesz na oleju czy na masełku?

Rolnik pyta rolnika jąkałę:
– Dużo masz królików?
– Trzy...trzy...trzysta...
– Nie żartuj! Aż trzysta?
– N-n-nie... Trzy sta...stare i dw-w-wa młode!

Wchodzi kobieta do księgarni i pyta:
– Czy dostanę książkę „Mężczyzna idealny"?
– Nie, proszę pani, działu science fiction nie prowadzimy.

Na granicy celnik pyta turystę:
– Alkohol, papierosy?
– Nie, ale jeśli pan taki uprzejmy, to dwie kawy poproszę.

Przychodzi króliczek do cukierni i pyta:
– Jest tort marchewkowy?
– Nie ma – odpowiada cukiernik.
Sytuacja powtarza się przez kilka dni i wreszcie sprzedawcy zrobiło się króliczka żal, więc mówi:
– A, zrobię temu biednemu króliczkowi tort marchewkowy, żeby się ucieszył.

Następnego dnia króliczek przychodzi i pyta:
– Jest tort marchewkowy?
– Jest – odpowiada zadowolony sprzedawca.
– No i kto to panu kupi? – westchnął króliczek.

Król zwraca się do swojego rycerza:
– Rycerzu, czy zechcesz obronić nasze królestwo przed wielkim smokiem?
Rycerz bez zastanowienia założył hełm i wsiadł na konia. Uradowany król na to:
– Poczekaj, nie zapytasz nawet o nagrodę?
– Królu, tu nie ma o co pytać, tu trzeba zwiewać!

Zajączek zamówił w kawiarni ciasteczko i herbatkę. Szybko zrealizowano zamówienie, ale zajączek pokicał jeszcze do WC. Gdy wrócił, zobaczył, że ktoś zjadł mu ciastko.
– Kto zjadł moje ciasteczko?
Od stołu wstał niedźwiedź.
– Ja, bo co? – odpowiedział.
– A czemu nie wypiłeś herbatki?

– Córeczko, proszę, nie chodź codziennie do tej dyskoteki. Jeszcze tam ogłuchniesz!
– Nie, dziękuję, już jadłam...

Do autobusu wsiada chłopak i zajmuje miejsce obok pewnej staruszki. Po chwili staruszka zaczepia chłopaka:
– Przepraszam bardzo, czy pan aby nie jest Chińczykiem?
– Nie, proszę pani, jestem Polakiem – odpowiada zdziwiony chłopak.
– Ale pana matka to na pewno Chinka.
– Nie, proszę pani, moja mama jest Polką.
– A ojciec? Pana ojciec na 100 procent jest Chińczykiem.
– Nie, mój tata też jest Polakiem.
– Eeee tam! Ale pan to na pewno Chińczyk.
Chłopak miał już dosyć namolnej staruszki, więc odpowiedział:
– Niech już pani będzie – jestem Chińczykiem.
Na to staruszka wykrzyknęła z radością w głosie:
– Patrzcie ludzie – Chińczyk, a wcale niepodobny!

Idzie lew przez las i spotyka tygrysa.
– A coś ty taki smutny? – pyta tygrys.

– A, biorą mnie do wojska – mówi lew.
– No i co?
– No i będę musiał obciąć swoją piękną grzywę.
Na to tygrys:
– Poszukamy kogoś, kto już był w wojsku i opowie nam, jak tam jest.
Idą, idą i spotykają mysz.
– Powiedz nam, myszko, jak to jest w wojsku?
– Ja nie jestem żadna myszka, tylko jeż na przepustce.

– Dzień dobry, pani sąsiadko. Czy mogłaby mi pani pożyczyć cukru?
– Nie.
– A soli?
– Nie.
– A może mąki?
– Nie.
– A jest coś, co mogłaby mi pani pożyczyć?
– Tak. Wesołych świąt!

Rozmawiają dwaj prezesi hipermarketów.
– Co u pana słychać?
– Same kłopoty. Szukamy kasjera.
– Przecież niedawno zatrudniliście nowego!
– No właśnie go szukamy!

– Synu, twój nauczyciel bardzo się martwi twoimi złymi ocenami – mówi ojciec do syna.
– Ach, tato, sam powiedz, co nas obchodzą zmartwienia obcych ludzi.

– Co to znaczy „nothing”?
– Nic.
– Niemożliwe! Musi coś znaczyć.

Nowy manager zatrudnił się w dużej międzynarodowej firmie. Pierwszego dnia pracy wykręcił numer telefonu wewnętrznego do swojej sekretarki i krzyczy:
– Przynieś mi tu kawy, szybko!
Z drugiej strony odezwał się gniewny męski głos:
– Wybrałeś zły numer! Wiesz z kim rozmawiasz?!
– Nie!
– Z dyrektorem naczelnym, ty idioto!
– A wiesz, z kim ty rozmawiasz?!
– Nie!
– No i dobrze!

Przewodnik oprowadza szkolną wycieczkę.
– To bardzo niezwykłe łoże, spali na nim Zygmunt Stary, Zygmunt August i Tadeusz Kościuszko...
– Ale musiało być im ciasno – odzywa się jedna z uczennic.

Przyszły wczasowicz dzwoni do nadmorskiego hotelu, aby dowiedzieć się, gdzie dokładnie jest położony obiekt. Słyszy odpowiedź:
– Rzut kamieniem od plaży.
– A jak go rozpoznać?
– To ten z powybijanymi szybami...

– Jaka jest różnica między obrazem i obrazą?
– Taka jak między śniadaniem na trawie, a trawą na śniadanie.

Nauczyciel opowiada klasie o małpach. Dostrzega, że mała Zuzia nie słucha. Zwraca więc jej uwagę:
– Zuziu! Słuchaj uważnie i patrz na mnie, bo nie będziesz wiedziała, jak wygląda małpa.

Syn mleczarza został wzięty do wojska.
Po tygodniu pisze list:
– Kochany tato, tutaj jest cudownie, można się wylegiwać w łóżku do szóstej!

Rozmawiają dwie koleżanki:
– Wiesz, od jakiegoś czasu dostaję listy z pogróżkami – mówi jedna.
– Zawiadom policję – proponuje druga.
– To nie pomoże. Nadawcą jest urząd skarbowy.

Jaś mówi do taty:
– Chciałbym iść z Tomkiem do kina, a nie mam na bilet. Tato, masz dla mnie jakąś pracę?
– Nie, nie mam synku.
– No to w takim razie musisz mi wypłacić 20 zł zasiłku dla bezrobotnych!

Rozbitkowie dotarli do wyspy i krzyczą:
– Zieeeeeeeeeeeeeeeeeeeemia!!!
– Jedzenieeeeeeeeeeeeeeeeeeeeee!!! – krzyczą uradowani tubylcy.

– Dlaczego słoń ma pomarańczowe oczy?
– Nie wiem.
– Żeby się dobrze kryć w jarzębinie.
– Jak to? Nie widziałem nigdy słonia w jarzębinie!
– Widzisz, jak się dobrze schował!

Rozprawa zbliża się ku końcowi:
– Czy oskarżony ma jeszcze coś do powiedzenia? – pyta sędzia.
– Właściwie to już wszystko powiedziałem. Nie potrafię jednak pogodzić się z tym, że wysoki sąd bardziej wierzy w kłamstwa świadka niż w moje.

W hipermarkecie pani z obsługi pyta zagubionego klienta:
– Szuka pan czegoś konkretnego?
– Tak.
– A czego, jeśli wolno spytać?
– Wyjścia!

Jaś był pierwszy raz w szkole. Przychodzi do domu z niezadowoloną miną.
Mama pyta:
– Co się stało?
– Na drzwiach klasy była tabliczka, że to 1 klasa, a ławki były twarde.

Spotykają się dwie brunetki:
– Czy wiesz, dlaczego blondynka na stoliku koło łóżka kładzie dwie szklanki: jedną napełnioną wodą, a drugą pustą?
– Bo w nocy może być spragniona albo nie.

Na przejściu granicznym celnik mówi do turysty:
– Proszę otworzyć walizkę.
– Ale ja nie mam walizki!
– Nic na to nie poradzę, przepis to przepis!

Podczas meczu piłkarskiego siedzącego na trybunach chłopczyka zagaduje porządkowy:
– Przyszedłeś sam?
– Tak, proszę pana.
– Stać cię było na tak drogi bilet?
– Nie, tata kupił.
– A gdzie jest twój tata?
– W domu, szuka biletu.

Na rynku baca wymachuje szmatą na długim kiju. Ceper go pyta:
– Co wy, baco, robicie?
– Żyrafy przeganiom.
– Przecież tu nie ma żyraf.
– No widzicie!

Jedzie autobus i wsiadają do niego dwie starsze panie. Jedna z nich pyta:
– Czy ten autobus jedzie do Poronina?
– Tak – odpowiada kierowca.
– Ale czy na pewno? – dopytuje się babcia.
– Na pewno – mówi kierowca.
– Ale czy tak na pewno do Poronina? – nie daje za wygraną babcia.

– Nie, do Nowego Jorku – odpowiada zdenerwowany już kierowca.
– A przez Poronin?

Ksiądz upomina pijaczka:
– Obawiam się, mój drogi, że nie spotkamy się w niebie.
– A cóż takiego ksiądz nabroił?

Przychodzi facet do sklepu i pyta się:
– Macie jakieś bardzo trudne puzzle?
– Mamy. Może być pustynia – 500 części?

– Nie! To na pięć minut. Może coś trudniejszego!
– No, a np. ocean – 1500 części?
– Łee. 10 minut!
– No to najtrudniejszy zestaw – niebo nocą, 2500 części.
– Niee! Nie macie naprawdę nic trudniejszego? Może być trójwymiar...
– Wie pan co?! Niech pan idzie do piekarni po bułkę tartą i poskłada sobie z niej rogalik...

Rozmawia dwóch myśliwych powracających z polowania. Jeden z nich niesie psa przewieszonego przez ramię.
– Wyżeł?
– Wyżeł.
– Twój?
– Mój.
– Zastrzeliłeś go?
– Zastrzeliłem.
– A co, wściekły był?
– No, zachwycony nie był.

– Widziałeś? Ten koń chciał mi odgryźć głowę!
– Ma zwierzę węch! Widocznie poczuł siano.

– Gdzie pracujesz?
– Nigdzie.
– A co robisz?
– Nic.
– No to masz fajne zajęcie.
– Tak, fajne jest, ale konkurencja ogromna.

– Panie – słychać głos w kinie – pan jest taki gruby, że powinien pan kupić bilet na dwa miejsca!
– Kupiłem, ale drugie mam na balkonie...

– Wiesz, kiedy rano słyszę budzik, to się czuję jakby do mnie strzelali.
– I co? Zrywasz się?
– Nie, leżę jak zabity.

Eliminacje do finałów Miss Polonia. Prowadzący wybiera dziewczyny z tłumu startujących:
– Pani, pani... pani i pani.
– I jeszcze ja! I ja! – domaga się jedna.
– Dobrze, i pani też! Ubierać się i do domu!

Mucha spotyka stonogę:
– Dlaczego nie byłaś na lodowisku?
– Bo zanim założyłam łyżwy, przyszła wiosna.

Ławnicy zjawiają się na rozprawie z niewielkim opóźnieniem. Sędzia pyta:
– Panowie biegli?
– Nie! Przyjechaliśmy autobusem – przerywa jeden z ławników.

Rozmawia dwóch więźniów:
– Jak wpadłeś? – pyta jeden.
– Przez przypadek. Mój syn napisał w szkole wypracowanie na temat: „Co robi mój tato?".

Przed klasówką:
– Mam nadzieję, że dzisiaj nikogo nie przyłapię na ściąganiu!
– My również, proszę pani!

Generał podczas wizytacji pyta szeregowca:
– Czy jesteście szczęśliwi, że służycie w wojsku?
– Tak jest, panie generale.
– A co będziecie robić w cywilu?
– Będę jeszcze bardziej szczęśliwy...

Dwaj robotnicy na budowie rzucają monetę.
– Dobrze, jak wypadnie reszka, gramy w karty – mówi jeden.
– Jak wypadnie orzeł, idziemy na piwo – dodaje drugi.
– A jak stanie na sztorc?
– Trudno, pech to pech, wtedy zabieramy się do roboty...

Za autobusem biegnie mężczyzna i krzyczy:
– Ludzie, powiedzcie kierowcy, żeby się zatrzymał, bo spóźnię się do pracy!
– Panie kierowco, jeszcze jeden pasażer!
Kierowca zatrzymuje się. Do autobusu wskakuje zdyszany facet i mówi:
– Dziękuję, bardzo państwu dziękuję! A teraz bileciki do kontroli proszę...

– Panie kapitanie, czy pan wie, że szeregowy Ecik skoczył bez spadochronu?
– Oszalał. To już dzisiaj trzeci raz...

Celnicy zastanawiają się nad prezentem dla swojego kolegi po fachu.
– Może kupimy mu jacht? – proponuje jeden.
– Eee... nie, to już ma... – odpowiada drugi.
– A może wakacje na Kanarach?
– Eee... ciągle tam jeździ i już mu się znudziły.
– A może zostawimy go samego na zmianie?
– No, nie, stary, to by była przesada!

Rozmowa pasażera i kasjerki przed kasą PKP:
– Poproszę bilet.
– A dokąd?
– A co pani taka ciekawa?

W restauracji:
– Kelner, czy macie dziką kaczkę?
– Nie, ale specjalnie dla pana możemy rozwścieczyć domową.

Rozmawiają dwie sąsiadki:
– Słyszałam, że pani mąż złamał sobie nogę. Jak to się stało?
– Bardzo głupio. Właśnie robiłam zrazy, więc mój mąż poszedł do piwnicy po ziemniaki. Jak zwykle nie wziął ze sobą latarki, pośliznął się na schodach i spadł w dół.
– To straszne. I co pani zrobiła w takiej sytuacji?
– Makaron.

W restauracji oburzony klient mówi do kelnera:
– W jadłospisie znajduje się tylko jedna potrawa. Nie dajecie żadnego wyboru!
– Owszem, dajemy. Może pan zamówić albo nie!

Łzy Chucka Norrisa leczą raka. Ale Chuck jest tak hardkorowy, że nigdy nie zapłakał.

Chuck Norris nie śpi. Czeka.

Jeśli widzisz Chucka Norrisa, on ciebie też widzi.

Jeśli nie widzisz Chucka Norrisa, możesz być kilka sekund od śmierci.

Drobnym druczkiem na ostatniej stronie *Księgi rekordów Guinnessa* jest napisane, że wszystkie rekordy należą do Chucka Norrisa, a w książce są wymienieni ci, którzy się najbardziej do nich zbliżyli.

Chuck Norris pije piwo prosto z cysterny.
Później zgniata ją na czole.

Chuck Norris potrafi klaskać jedną ręką.

Kiedy Chuck Norris idzie zabijać, ustawia status GG na „zaraz wracam".

Chuck Norris, grając w koszykówkę, potrafi zrobić wsad za trzy punkty.

Chuck Norris ma piękną kolekcję krasnali ogrodowych. Nikt nie wie, dlaczego w pobliżu jego domu znikają małe dzieci.

Zwyczajny śmiertelnik chwyta się brzytwy, gdy tonie. Chuck Norris zdąży się jeszcze ogolić.

Chuck Norris, gdy maluje pokój, potrafi na ścianie namalować tęczę, mając tylko białą farbę.

Pociąg się nie zatrzymał, bo maszynista nie lubi rozstań na dworcach...

Chuck Norris pobił kiedyś rekord w biegu na 1500 metrów z przeszkodami. Ćwiczył wtedy chodzenie na rękach.

Tylko Chuck Norris potrafi nacisnąć Ctrl-Alt-Del jednym palcem.

Chuck Norris pewnego razu został ranny, ale chwilę później się obudził...

Chuck nie musi płacić w publicznym WC, to babcia klozetowa płaci Chuckowi.

Chuck Norris też była kobietą!

Chuck Norris w minutę przekonał Goździkową do APAPU.

Kiedyś Chuck Norris wygrał 1 na 1 z Jordanem. W butach narciarskich i kebabem w ręku.

Chuck Norris potrafi ugotować zupę pomidorową z samych grzybów.

Tylko Chuck Norris potrafi zagrać w bierki rozgotowanym spaghetti.

Chuck Norris potrafi wstać i zobaczyć, jak siedzi.

Chuck Norris wynalazł bezprzewodową słuchawkę od prysznica.

Kiedyś dwóch złoczyńców chciało uciec Chuckowi. Jeden pobiegł w prawo, drugi w lewo... Chuck Norris za nimi.

Przeciętny Amerykanin nie zdaje sobie sprawy, że film „Strażnik Teksasu" to tak naprawdę reality show.

Chuck Norris grał kiedyś w szachy z diabłem. Do tej pory diabeł zastanawia się, jak przegrał z Chuckiem w pierwszym ruchu. Diabeł zaczynał.

Chuck Norris wiele razy patrzył śmierci w oczy. Za każdym razem śmierć traciła wzrok do czasu zejścia opuchlizny.

Dlaczego żółwie żyją po 150 lat? Najwyraźniej nie smakują Chuckowi Norrisowi.

Jeśli szukasz jakiejś informacji, korzystasz z Google. Google pyta Chucka Norrisa.